ISBN 978-0-484-58326-8
PIBN 10672311

Biblische Zeit- und Streitfragen.
Herausgegeben von
Lic. Dr. Boehmer und Lic. Dr. Kropatscheck.

Das Gebet bei Paulus.

Von

Lic. Alfred Juncker,
a. o. Professor der Theologie in Breslau.

1905.
Verlag von Edwin Runge in Gr. Lichterfelde-Berlin.

Wenn das religiöse Leben der eigentliche Gegenstand aller Religionsforschung ist, so darf in der Reihe der „Biblischen Zeit- und Streitfragen“ unzweifelhaft auch eine Studie über urchristliche Gebetspraxis und urchristliche Gebetstheorie volle Existenzberechtigung beanspruchen. Denn das Gebet ist ja nichts anderes als der notwendigste, unmittelbarste Ausdruck des bewußten Lebens des Frommen mit und in Gott.

Es könnte sich höchstens ein Bedenken erheben gegen die spezielle Abgrenzung, die ich meinem Thema gegeben habe. Allein die Frömmigkeit des Apostels Paulus ist einmal die für uns durchsichtigste Repräsentantin der urchristlichen Frömmigkeit und zum andern — und dieses Zweite fällt noch stärker ins Gewicht als jenes Erste —, vermöge der überragenden Bedeutung seiner Persönlichkeit und Wirksamkeit und zumal auch der hervorstechenden Originalität seines Denkens und Empfindens, ein Faktor, der die Frömmigkeit des Urchristentums ganz wesentlich mit bestimmt, aufs vielfältigste und nachhaltigste beeinflußt und befruchtet hat. Unter diesen Umständen aber darf ohne Gefahr des Widerspruchs nicht bloß dies behauptet werden, daß in einer umfassenden Erörterung des urchristlichen Gebetslebens dem paulinischen Gebete jedenfalls ein besonderes Kapitel zu widmen wäre, nein auch, daß dieses Kapitel zweifellos beanspruchen dürfte, nächst dem das Beten Jesu behandelnden Abschnitte als das wichtigste, als das dem Range nach erste anerkannt zu werden.

Freilich, unsere Grundvoraussetzung, daß Paulus wirklich speziell auch in der Welt des Gebetes, dieser reichen und weiten Welt, dieser Welt des Wunders, dieser Welt der unbegrenzten Möglichkeiten, einer der ganz Großen gewesen ist, ermangelt zunächst noch jedes direkten Beleges. Und im

Grunde bedarf sie ja auch schwerlich eines ausführlichen Beweises. Immerhin halte ich dafür, daß es sich zur Erzielung eines lebhaften Eindrucks von der hohen Intensität des persönlichen Gebetslebens unseres Apostels und der großen Stärke seines Interesses an der Wirkung eines gleich lebendigen Gebetseifers in seinen Gemeinden doch sehr wohl empfiehlt, wenigstens an die wichtigsten der in Betracht kommenden Daten gleich hier vorab zu erinnern.

Alle seine Briefe hat Paulus mit einer Danksagung eröffnet, doxologisch läßt er seine Ausführungen vielfach ausklingen, mit Doxologien unterbricht er hier und da den ruhigen Gang seiner Darlegungen. Und er dankt schlechtweg für alles: für die Errettung, die Gott den Gläubigen in Christo ein für allemal gegeben hat, bezw. in jedem einzelnen Falle gibt (Röm. 7,25; 1. Kor. 15,57), für die mancherlei Tröstungen, durch die er sie ständig erquickt (2. Kor. 1,3 f.), für das Hoffnungsgut, das für sie im Himmel aufbewahrt ist (Kol. 1,3 ff.), für die erfreulichen religiös-sittlichen Zustände der Gemeinden (vergl. den Eingang aller Gemeindebriefe mit alleiniger Ausnahme des Galater- und des zweiten Korintherbriefes), für die Erfolge, die ihm persönlich beschieden sind (2. Kor. 2,14). Er dankt dafür, daß er mehr in Zungen redet als alle korinthischen Christen (1. Kor. 14,18), aber auch dafür, daß er in Korinth nur etliche wenige persönlich getauft hat, so daß also nun niemand sagen kann, er habe auf seinen eigenen Namen getauft (1. Kor. 1,14 f.), sowie dafür, daß Gott in dem Herzen des Titus einen sonderlichen Eifer für die Korinther hat wach werden lassen (2. Kor. 8,16). Er preist Gott ob der Tiefe des Reichtums seiner geistlichen Gaben (Röm. 11,33 bis 36), aber versäumt auch nicht den Dank für das tägliche Brot (Röm. 14,6; 1. Kor. 10,30). — Und zugleich ruft er die Gemeinden unablässig zu Lob und Dank auf. „In jeder Lage danket“ so mahnt er die Thessalonicher (1. Th. 5,18), „es werde jeder Puls ein Dank und jeder Odem ein Gesang“ so tönt's dem Sinne nach durch alle seine Briefe. Ja, wie er den religiös-sittlichen Verfall der Heidenwelt als eine Strafe dafür betrachtet, daß sie es verabsäumte, ihrer Dankespflicht gegen Gott Genüge zu tun (Röm. 1,21), so erblickt er, jenem Urteile genau entsprechend, in der Erweckung der Heiden zum Preise des göttlichen Erbarmens den eigentlichen Zweck der Sendung Christi (Röm. 15,9) und wiederum in der Mehrung des Dankes zur Ehre Gottes den Zweck auch seiner eigenen Sendung (2. Kor. 4,15). — Die gleiche Unermüdlichkeit wie im Danken zeigt Paulus aber auch im Bitten, zumal im Fürbitten. Er bittet „für die Gemeinden, die er selbst, wie für die, die andere gestiftet haben. Er bittet für die, die er selbst gesehen, und auch, daß ihm vergönnt werde, einmal hinzukommen zu denen, die er noch nicht gesehen" (Röm. 1,9 f.). Er trägt die gesamte Christenheit auf betendem Herzen, aber er gedenkt bei seinen regelmäßigen, umfassenden Gebeten, wie aus Philem. 4 erhellt, auch des einzelnen, der ihm persönlich nahe getreten ist. Jede Danksagung am Eingange seiner Briefe läßt er ausmünden in eine Fürbitte, und jeden Brief schließt er mit einem Gebetswunsche. — Und ebenso unaufhörlich ermahnt er die Leser seiner Briefe wie im allgemeinen zu anhaltendem Bitten, so im besondern zur Fürbitte für einander (2. Kor. 9,14; Ephes. 6,18) und für ihn selbst, den Apostel (vgl. z. B. Röm. 15,30 ff.; Phil. 1,19; Kol. 4,18; 1. Thess. 5,25). — Doch auch das Gesagte erschöpft noch nicht den ganzen Reichtum seines Gebetslebens. Denn aus der schon erwähnten Stelle 1. Kor. 14,18 „ich danke Gott, daß ich mehr als ihr alle in Zungen rede", ergibt sich ja — da die Glossolalie nicht eine Predigt-, sondern eine Gebetsweise war —, daß Paulus auch im ekstatischen Beten hinter niemandem im Urchristentume zurückgestanden hat.

Allerdings ist Paulus sicherlich auch schon vor seiner Bekehrung ein großer Beter gewesen. Hatte doch gerade in diesen späten Zeiten im Volke der Psalmen das Gebet eine besonders eifrige und liebevolle Pflege gefunden. Sämtliche Literaturdenkmäler dieser Periode sind hierfür lebendige Zeugen. Denn sie sind voll von direkten und indirekten Empfehlungen des Gebets (ich denke hier vornehmlich an Daniel, die Bücher Tobit und Judith, III. Makk. und die Zusätze zum Buche Esther). So wird gern auf die Erhörlichkeit des Gebetes hingewiesen (vgl. z. B. Sir. 7,10 und 32,16 ff.); so lesen wir, um auch einige Beispiele direkter Gebetsvermahnung namhaft zu machen, Sir. 37,15: „Bete zum Höchsten, daß er treu, wie er ist, deinen Weg ebne" und Tob. 12,6 f.: „Lieblich ist es, Gott zu preisen und seinen Namen zu verherrlichen und die Werke Gottes rühmend zu verkünden. Zögert nicht ihm zu danken. Es ist schön, das Geheimnis eines Königs geheim zu halten, die Werke Gottes aber zu offenbaren, ist herrlich"; so hat, um endlich noch ein besonders illustratives Exempel anzuführen, der relativ so reiche Gebetsunterricht, den der Jakobusbrief enthält, durchweg echt jüdische Parallelen aufzuweisen (man vgl. z. B. zu Jak. 1,5: 2. Chron. 1,10—12; Sap. 7,7; 9,4. 6; Ps. Sal. 5,15 f.; zu Jak. 1,6: Sir. 7,10; zu Jak. 1,8: Sir. 1,25; zu Jak. 4,3: Ps. Sal. 6,8; zu Jak. 5,13: Ps. Sal. 15,5; zu Jak. 5,16: Sir. 18,18 ff.; 38,9 f.). Es verhält sich in der Tat so, wie Bousset (Götting. gel. Anz. 1903 I S. 267) sagt: „Die spätjüdische Frömmigkeit hat das Gebet recht eigentlich für die weiteren Kreise vom Kult und Ritus abgelöst, sie hat das Gebet zur Substanz des frommen Laienlebens gemacht, sie hat reiche Gebetsformen geschaffen, und in der jüdischen Gebetsliteratur, die bis zu Jesu Zeit zurückreicht, sind Gebete ersten Ranges erhalten". Wohl hat das Gebet eben damals auch bereits vielfach in Formelwerk und Lippendienst auszuarten begonnen. Aber daß Paulus an diesem von Jesus so scharf gegeißelten Gebetspharisäismus, trotz seines Pharisäismus, für seine Person keinen Anteil gehabt hat, dafür bürgt der ehrliche religiöse Eifer, der ihn unzweifelhaft schon vor der Katastrophe vor Damaskus beseelte.

Trotz alledem ist sich Paulus unverkennbar bewußt gewesen, daß nach seiner Bekehrung und infolge derselben sein Gebetsleben einen ganz neuen, gewaltigen Aufschwung genommen hat. Denn augenscheinlich hat er, wie in dem gesamten religiös-sittlichen Leben, das er jetzt als Christ lebt, so auch speziell in dem Gebete, wie er es nunmehr als Christ übt, eine unmittelbare Folge der Geistesmitteilung gesehen. Und Gal. 4,6 und Röm. 8,15 hat er es ja auch geradezu ausgesprochen, daß der Geist oder der Christ im heiligen Geiste, kraft des heiligen Geistes „Abba, Vater" rufe. Ja in dem soeben genannten achten Kapitel des Römerbriefes schreibt er in den Versen 26 f.: „Der Geist steht unserer Schwachheit helfend zur Seite. Denn, was wir beten sollen, nach Gebühr, wissen wir nicht. Aber der Geist selbst tritt für uns ein mit unaussprechlichen Seufzern. Der aber die Herzen erforscht, weiß, was der Geist will, weil er in Gottes Sinn für Heilige eintritt." Also Paulus hat in dem Gebete mit einem Worte eine Gnadengabe, ein Charisma gesehen. Darf daraus, wie neuerdings geschehen ist (vgl. Böhmes Aufsatz „Das paulinische Gebet" in den Protestant. Monatsheften 1902), gefolgert werden, er habe den Menschen an sich, den Nichtchristen, für völlig unfähig zum Beten gehalten? Gewiß nicht! Aus der Gleichung „das christliche Gebet ein Charisma“ folgt nur: er hat das nichtchristliche Beten für minderwertig angesehen. Für minderwertig aber offenbar darum, weil für unkräftig. Denn, wenn er selbst im Leben des Christen Schwachheitszustände kennt, in denen der Geist selbst mit seinen Bitten eintreten muß, so hat er unzweifelhaft den Gegensatz von christlichem und nichtchristlichem Gebete als den von Kraft und Unkraft, von Reichtum und Armut, von Überschwang und Dürftigkeit empfunden. Zugleich aber erhellt aus den genannten Stellen Gal. 4,6 und Röm. 8,15, worin nach ihm jene besondere Kraft und Fülle des christlichen Gebetes, soweit bei diesem überhaupt menschliche Aktivität in Frage kommt, letztlich gründet. Darin gründet sie, daß das Christengebet Kindesrede ist, Dank für Gottes überschwengliche Vatergüte und freudig-zuversichtliche Bitte, die an dieselbe Vaterliebe appelliert. Der Christ, er allein weiß alle Hemmnisse, die der Gemeinschaft mit Gott im Wege standen, beseitigt, ihm erst ist der Zugang zu ihr erschlossen (Röm. 5,2; Eph. 2,18; 3, 12), er erst steht in einem Friedensverhältnisse zu Gott (Röm. 5,1), und darum ist erst seinem Gebetsleben wahre Freudigkeit, echter Freimut, eine lebendige Zuversicht, ja ein jauchzendes Sichrühmen eigen.

Indes, ist es nicht eine Tatsache, daß schon spätjüdische Frömmigkeit Gott als Vater gepriesen und angeredet hat? Daran kann allerdings kein Zweifel obwalten. Es ist ein Verdienst neuerer Theologen, diesen Sachverhalt klar aufgedeckt zu haben. Im Spätjudentume ist in der Tat nicht bloß überhaupt von dem Vaternamen öfter als in irgend einer früheren Periode Gebrauch gemacht, nein auch im besondern das Vaterverhältnis Gottes schon direkt auf den einzelnen bezogen worden und zwar sowohl innerhalb der hellenistischen als auch innerhalb der palästinensischen Kreise. Hinsichtlich der ersteren ist die Sachlage völlig klar. Bei Sirach und in der Sapientia begegnet die Gebetsanrede „Vater“ wiederholt im Munde des einzelnen Israeliten (vgl. Sir. 23,1. 4; 51,10 und Sap. 2,16. 18; 14,3). Etwas verwickelter freilich liegen die Verhältnisse auf palästinensischem Boden. Denn in den hierher gehörigen pseudepigraphischen Schriften (ich denke vor allem an das Buch der Jubiläen, den äthiopischen Henoch und die Psalmen Salomos) wird das Vaterverhältnis Gottes allerdings noch ganz wie im Alten Testamente zunächst immer nur auf das Volk oder auch die Frommen im Volke als eine Art Kollektivpersönlichkeit bezogen. Dagegen wird in der ältesten rabbinischen Literatur, namentlich der Mischna, der Vatername nicht ganz selten geradezu als Gottesbezeichnung gebraucht. Ja im Schmone Esre, jenem berühmten Gebete, dessen ursprüngliche Rezension höchst wahrscheinlich aus der Zeit vor 70 stammt, findet sich sogar zweimal die Gebetsanrede „Abinu“ „unser Vater“. Allein, was folgt in Wahrheit aus einer Konfrontation jener beiden Tatsachen: daß Paulus das Gebet zum Vater als ein wesentliches Novum empfunden hat, und daß dieses Gebet gleichwohl, formell wenigstens, ein absolutes Novum sicher nicht gewesen ist? Doch nichts anderes als dies, daß jene etwas häufigere Verwendung des Vaternamens Gottes die Stimmung des Spätjudentums wesentlich eben doch nicht beeinflußt haben kann, daß die letztere im ganzen eine Stimmung der Gebrochenheit, der Unsicherheit, ja der zitternden Furcht (vgl. Röm. 8,15) gewesen und geblieben sein muß. In der Tat, auch für die Frommen dieser Periode ist Gott eben doch in allererster Linie als der große und erhabene König und als der gerechte und erhabene Herr in Betracht gekommen. Nichts dürfte für die absolute Vorherrschaft dieser Anschauungsweise bezeichnender sein als der Umstand, daß in dem eben erwähnten Schmone Esre die Gebetsanrede „Abinu“ „unser Vater“ sofort durch „Milkenu“ „unser König“ erläutert, man könnte auch sagen, sofort wieder paralysiert wird. Ja es erhebt sich angesichts dieses Tatbestandes sogar ernstlich die Frage, die vor allem Bousset aufgeworfen hat: liegt etwa in dem verhältnismäßig häufigen Gebrauche des Vaternamens seitens der Rabbinen am Ende des 1. und am Anfange des 2. nachchristlichen Jahrhunderts eine Rückwirkung des Christentums vor? Die Annahme liegt doch sehr nahe, daß die Rabbinen die Behauptung der Christen, Gottes Kinder zu sein, als unerträgliche Anmaßung empfanden; dann aber relativ nahe auch die Vermutung, daß der Eifer der Polemik gegen jene christliche Selbsttitulatur die Rabbinen zu einer stärkeren Betonung der jüdischen als der allein legitimen Gotteskindschaft veranlaßt haben könnte. Wie dem aber auch sei, auch das früher von uns Ausgeführte genügt, den wesentlich anderen Stimmungsgehalt, der dem christlichen Gebetsleben Pauli im Vergleiche mit seinem vorchristlichen eigen sein mußte, begreiflich zu machen. Erst als Christ, erst nachdem er in und mittelst seiner Bekehrung Gott als den, der des eigenen Sohnes nicht verschonte (Röm. 8,32), kennen gelernt hatte, verfügte er über ein absolut festes, durch kein noch so banges Rätsel des Daseins mehr zu erschütterndes Fundament für die Glaubensüberzeugung: Gott mein Vater.

Nun begegnet allerdings die schlichte Anrede an Gott als „den Vater“ in Pauli Briefen in Wirklichkeit gar nicht so häufig, wie wir's nach unsern eignen Darlegungen erwarten müssen. Sie ist vielmehr, abgesehen von Röm. 8,15 und Gal. 4,6, nur noch viermal nachweisbar: zweimal in Kol. (1,2. 12) und je einmal in Phil. (4,20) und Eph. (3,14). An allen anderen Gebetscharakter tragenden Stellen, an denen Gott als Vater bezeichnet ist, wird er entweder direkt „der Vater unseres Herrn Jesu Christi“ genannt, oder es wird mit „unserem Vater“ als dem Heilsurheber der „Herr Christus“ als der Heilsmittler aufs engste zusammengefaßt. Ist Böhme im Rechte, wenn er auf Grund dieser Beobachtung dem paulinischen Gebetsleben „kühle Stimmung“, „Mangel an Unmittelbarkeit“, „fehlende Innigkeit“ vorwirft? Aber abgesehen davon, wie sich mit jenem Vorwurf die Tatsache reimen soll, daß unser Apostel ein Meister speziell auch im glossolalischen Beten war: jene ständige Vergegenwärtigung Christi bei der Anrufung des Vatergottes, besser noch, jener Umstand, daß in Pauli Bewußtsein der Gedanke an den himmlischen Vater die Vorstellung des Erlösungswerkes Christi stets unwillkürlich mit auslöste, ist ja gerade der schlagendste Beweis für die Tiefe und Stärke des paulinischen Empfindungslebens, für die Tiefe und Stärke zumal seines Dankgefühls für das in Christo und e r s t in ihm erschlossene Heilsgut der Gotteskindschaft. „Weil er es in alle Ewigkeit nicht vergessen kann, daß er einen treuen Erlöser hat von Sünde und Tod“, darum — diese Erklärung ist die nächstliegende — gibt er auch in den Gebetsanreden dem Namen Christi neben dem Namen des Vaters die Ehre, die ihm gebührt.

Das Resultat unserer bisherigen Erörterungen dürfen wir dahin zusammenfassen: das paulinische Gebet charakterisiert sich in erster Linie als unmittelbarer Ausfluß der in Christo gewonnenen Kindesstellung des Gläubigen zu Gott: es ist Gebet zum Vater Jesu Christi, der als solcher auch unser Vater ist.

Als A d r e s s a t der paulinischen Gebete aber hat sich uns somit bisher einzig und allein d e r V a t e r ergeben.

Aber kennt Paulus wirklich nur diesen einen Adressaten für seine Gebete? Kennt er nicht neben oder in und mit der Anbetung des Vaters auch eine Anbetung des Sohnes?

Wir gehen bei Besprechung dieses neuen Problems am besten von einer Ergänzung der Beobachtung aus, mit der wir unsere bisherige Erörterung abschlossen. Es ist nicht an dem, daß Paulus nur in denjenigen Gebeten, in denen er ausdrücklich von Gott als dem „Vater“ redet, mit der Nennung Gottes in der Regel eine Nennung Christi verbindet. Vielmehr findet sich die Hinzufügung des Namens Christi zum Namen Gottes fast in allen seinen Gebeten. Die gebräuchlichsten Wendungen aber, in denen die Mitbeziehung des Gebetes auf die Person Christi zum Ausdruck gebracht wird, sind diese beiden: „durch Jesum Christum“ und „im Namen unseres Herrn Jesu Christi“.

So ergibt sich uns als erste Fragestellung diese: was ist der Sinn der genannten beiden Wendungen? Begünstigt er die Annahme, daß Christus selbst von Paulus in die eigentliche Adresse des Gebetes mit aufgenommen ist? Die Frage selbst zwar könnte befremden. Denn in den betreffenden Wendungen „durch Christus“ und „im Namen Christi“ ist ja ausdrücklich Christus als der Vermittler des Gebetes, nicht als sein Adressat bezeichnet. Indes die Mittelsperson des Gebetes könnte doch, wenn auch nicht als der letzte, so immerhin als der nächste Adressat vorgestellt sein, dessen Aufgabe es dann eben wäre, das an ihn gelangte Gebet seinerseits an die höhere Instanz weiterzugeben. In der Tat haben wenigstens mit Bezug auf die zuerstgenannte Wendung „danken durch Christus“ schon einige alte Ausleger (Origenes, Theophylact), von neueren Hofmann, neuestens bes. Heitmüller („Im Namen Jesu“ 1903) diese Deutung vertreten, ja der Zuletztgenannte hat dann auch für die andere Formel „danken im Namen Christi“ die gleiche Interpretation vorgeschlagen. Heitmüller argumentiert hierbei so: jeder unbefangene Leser der Wendung „ich danke meinem Gott durch Jesum Christum“ (vgl. z. B. Röm. 1,8) wird urteilen: Christus ist hier als der vorgestellt, der den Dank an Gott übermittelt; er wird die Erklärung von Meyer, Weiß, Lipsius, Christus sei hier vielmehr als derjenige gedacht, der das, wofür gedankt wird, vermittle, als gekünstelt zurückweisen. In seiner Ansicht wird ihn vollends der bei Paulus zweimal begegnende Ausdruck „den Namen des Herrn anrufen“ bestärken; denn er wird sich sagen: Christum anrufen heißt eben ihn anrufen behufs Vermittlung des Gebets. Von dem hiermit gewonnenen Verständnisse aus erschließt sich aber auch die Einsicht in die Bedeutung der anderen Formel „danken im Namen Christi“. Genau genommen begegnet diese nur Eph. 5,20. Aber Kol. 3,17 stellt eine genaue sachliche Parallele dar, und, da hier die uns bereits durchsichtig gewordene Wendung „danken durch Christum“ begegnet, ist von dieser Stelle auszugehen. Ihr Sinn ist der: alles, was ein Christ tut, soll sich vollziehen unter Anrufung des Namens Jesu, indem er nämlich Gotte beständig dankt und bei dieser Danksagung sich, eben durch Anrufung seines Namens, der Vermittlung Christi bedient. Dieser Sinn werde vollends gesichert, schließt Heitmüller seine diesbezügliche Erörterung, durch die Beobachtung, daß das „durch ihn“ am Schlusse des Satzes zweifellos eine Antithese gegen die kolossischen Irrlehrer darstelle. Denn diese hätten ja, wie bekannt, einem Engelkultus gehuldigt. Es liege aber nahe anzunehmen, daß sie mit ihm Namenaberglauben verbunden, d. h., wie die Essener und wohl auch sonst weitere Kreise des Spätjudentums, sich die Vorstellung gebildet hätten: wird der Name des Engels, dessen Gebiet gerade in Betracht kommt, genannt und angerufen, so darf man der Erhörung seines Gebetes bei Gott um so gewisser sein, insofern es ja nun der richtige Vermittler ausrichtet, der eben durch Nennung seines Namens in den Dienst des Beters gezwungen ist. Dieser Theorie und Praxis der Irrlehrer stelle also Paulus hier die Forderung entgegen: bedient euch bei all' eurem Tun unausgesetzt der Formel „im Namen Jesu“; damit werdet ihr Jesum, der stärker ist als alle Engel, in euren Dienst zwingen, so daß er euer Gebet vor Gott bringt und kräftig vertritt.

Ich halte diese ganze Argumentation für verfehlt. Tödlich ist für sie meines Ermessens vor allem die Erwägung, daß der Apostel an keiner der in Betracht kommenden Stellen, ja überhaupt nirgends in seinen Briefen von einem Bitten durch Jesum oder im Namen Jesu, sondern stets nur von einem derart charakterisierten Danken redet. Das gerade Gegenteil wäre, glaube ich urteilen zu dürfen, zu erwarten, wenn Heitmüllers Voraussetzungen zuträfen. Denn, so leicht vollziehbar die Vorstellung erscheint, daß Christus der Christen Bitten vor Gott bringt und befürwortet, so wenig will einleuchten, warum der Apostel gerade umgekehrt mit Bezug auf die Danksagungen betont haben sollte, daß die Christen bei ihrem Gebet auf Christi Vermittlung und Vertretung angewiesen seien. Bedarf denn Dank überhaupt einer Befürwortung? Hat es Gott nicht gerade nach Paulus (vgl. Röm. 1) von allem Anfange an eben auf den Dank seiner Geschöpfe in erster Linie abgesehen gehabt? Und nun sollte er doch wieder als irgendwie abgeneigt gedacht sein, den Dank seiner Erlösten entgegenzunehmen? Ich könnte mir die Heitmüller'sche Auslegung daher höchstens mit der Nuance aneignen: indem der Christ sich zum Danken anschickt, soll er zunächst Christum anrufen, daß er s[illegible] Dank weihe, reinige, läutere, damit er wirklich gottwohlgefällig, ein Dank nach Gottes Sinn und Herzen werde. Aber, ganz abgesehen davon, daß Heitmüller eben diesen speziellen Sinn mit seiner Deutung gar nicht verbindet, macht jene Auslegung doch auch angesichts der in Betracht kommenden Texte einen überaus künstlichen Eindruck. Es wäre unnatürlich, die Worte Röm. 1,8 „Zunächst nun danke ich meinem Gotte durch Jesum Christum in betreff euer aller, daß man von eurem Glauben in der ganzen Welt erzählt" dahin zu interpretieren: ich danke meinem Gotte, indem ich dabei Jesum Christum zur Heiligung dieses meines Dankes anrufe, in betreff euer aller u. s. f. Vollends aber würde eine solche Ausdeutung künstlich erscheinen bei einem Texte wie Röm. 7,25, wo Paulus im Anschluß an die erschütternde Klage „Ich elender Mensch, wer wird mich erretten aus diesem Todesleibe?" fortfährt: „Gott aber sei Dank durch Jesum Christum, unsern Herrn." Es ist sehr bezeichnend, daß Godet, der die Formel „danken durch Christum" sonst ganz in dem Heitmüllerschen Sinne erklärt, doch zu dieser Stelle anmerkt: „Die Mittlerschaft Jesu Christi bezieht sich auf die Erlösung, die durch ihn vollbracht worden ist. Dieser Sinn wird durch den Zusammenhang gefordert, vgl. 1 Kor. 15,57: ‚Gott sei Dank, der uns den Sieg gibt durch unsern Herrn Jesum Christum'". Aber sollte nicht diese Stelle überhaupt als eine Art Kommentar zu der an sich dunklen Wendung „danken durch Christum" angesehen werden dürfen? Mir will es nach dem Gesagten denn doch durchaus als das Nächstliegende erscheinen, zumal wir noch über eine zweite Aussage verfügen, die eine fast noch deutlichere Sprache redet. Ich denke an die Worte 2. Kor. 1,20: „So viel Gottesverheißungen es auch gibt, in ihm (Christo) ist das Ja für sie vorhanden; darum auch durch ihn das Amen Gotte zu Ehren durch uns.“ Der Sinn kann nur der sein: das Gott verherrlichende Amen, mit dem die christlichen Gemeinden die Zuverlässigkeit aller Gottesverheißungen bekräftigen, wird, weil er der Erfüller aller jener Verheißungen ist (man vgl. jenes „darum“), durch ihn gesprochen, d. h. aber es wird jenes Amen durch die Vermittlung Christi als dessen, der es überhaupt erst durch die Erfüllung der Weissagungen ermöglichte, gesprochen, zugleich freilich auch durch die Boten des Evangeliums („durch uns“) als diejenigen, welche die Kunde von jener Erfüllung den Gemeinden übermittelt haben. — Darf aber somit die Richtigkeit der Meyer-Lipsiusschen Deutung der Wendung „danken durch Christum“ als erwiesen gelten, so fällt auch jede Nötigung fort, die andere Formel „danken im Namen Christi“ in Heitmüllers Sinne zu interpretieren. Dabei könnten wir uns immerhin die Übersetzung, die dieser Gelehrte den Worten „im Namen Jesu Christi“ gibt, getrost aneignen. Die ganze Wendung Eph. 5,20 würde dann eben den Sinn gewinnen: danket Gott dem Vater, indem ihr den Namen Jesu Christi nennt und euch damit alle Wohltaten Christi ins Gedächtnis ruft. Jedoch will es mir sehr fraglich erscheinen, ob das Wort „Name“ wirklich so gepreßt werden darf, wie es seitens Heitmüllers geschieht. Mögen hinter dem „im Namen“ ältere, abergläubische Vorstellungen stehen, die einst und anderswo „einen sehr bedeutsamen Einschlag in das Gewebe der religiösen Gedanken gebildet haben“, daß jene Vorstellungen auch noch bei Paulus lebendig seien, hat auch Heitmüller keineswegs erwiesen. Den Sinn der Worte „im Namen Jesu Christi“ an unserer Stelle treffen wir jedenfalls aufs genaueste, wenn wir sie dahin verstehen: indem ihr euch Christum, seine Bedeutung für euch, seine Verdienste um euch, kurz alles das, was sein Name, der Name des Heilsmittlers, in sich befaßt, vergegenwärtigt. Zum Vergleiche bietet sich ein Gebet dar, in welchem der Beter Gott für alle Liebes- und Gnadenzüge, durch die er sich an seinem inneren Menschen verherrlicht hat, dankt, sich nun aber nicht an einer ganz allgemeinen Danksagung genügen läßt, sondern auch einzelne Personen sich direkt vor Augen stellt, durch die ihm Gott seine Segnungen in sonderlicher Weise hat zuteil werden lassen.

Als das Fazit dieses Abschnittes unserer Untersuchung ergibt sich: den paulinischen Gebetsaussagen, die neben dem

Namen Gottes auch den Namen Christi enthalten, läßt sich nichts entnehmen für die Entscheidung der Frage: kennt Paulus neben oder in und mit der Anbetung des Vaters auch eine Anbetung Christi?

Aber wir verfügen allerdings über eine Anzahl Stellen, die uns zu einer Bejahung jener Frage unverkennbar nötigen.

Hierher gehören in erster Linie die beiden Aussagen, die von einem Anrufen des Namens des Herrn reden: 1. Kor. 1,2 und Röm. 10,12. An ersterer Stelle ist der Ausdruck „die den Namen unsers Herrn Jesu Christi anrufen" geradezu eine Umschreibung für „Christen". Die hier von Paulus gemachte Voraussetzung ist also unzweifelhaft die: das Anrufen des Namens des Herrn Jesu Christi gehört zum Wesen eines Christen. Die Anrufung des Namens Christi ist aber identisch mit einer Anbetung seiner Person. Die Richtigkeit dieser letztern Behauptung ist allerdings bestritten worden. P. Christ sagt in seiner Schrift „die Lehre vom Gebet nach dem Neuen Testament" 1886: „Die Redensart ‚den Namen jemandes anrufen' ist nur aus dem Alten Testament zu verstehen, denn der betreffende griechische Ausdruck ist die wörtliche Übersetzung des entsprechenden hebräischen (qara beschem). Nun wird aber diese Redensart im Alten Testament nicht bloß mit Bezug auf die Gottheit im Sinne von ‚beten' gebraucht, sondern auch mit Bezug auf Menschen im Sinne von ‚preisen, rühmen' (Psalm 49,12; Jes. 44,5); sie ist also bei Paulus durchaus nicht notwendig im Sinne einer Anbetung Christi zu verstehen, die zu seinem Gottes- und Messiasbegriff gar nicht paßte, sondern wird ungefähr dasselbe sagen wollen, was der Röm. 10,9 in demselben Zusammenhang gebrauchte Ausdruck ‚Jesum als Herrn bekennen' oder der ähnliche in 1. Kor. 12,3 ‚Jesum Herrn nennen', worauf dort der Apostel als auf ein Merkmal der Christlichkeit, das man ohne heiligen Geist nicht besitzen könne, großes Gewicht legt." Böhme aber bemüht sich diese Beweisführung noch zu ergänzen durch das Argument: „Das Beten an sich könnte als Eigenschaft der Christen hingestellt werden. . . . . . Aber das Gebet an Christus kann Paulus schlechterdings nicht als hervorstechendes Merkmal des Christentums betrachten, da in seinen Briefen Christus sonst nie angebetet wird. Was aber gar nicht erwähnt wird, darnach kann man einen das Wesen der betreffenden Gemeinschaft bezeichnenden Namen nicht bilden.“ Diese Böhmesche Argumentation läuft, wie auf der Hand liegt, auf eine reine petitio principii hinaus; es wird von ihr als bewiesen vorausgesetzt, was gerade den Streitpunkt der ganzen Kontroverse abgibt: kennen die paulinischen Briefe eine Anbetung Christi oder kennen sie sie nicht? Daß sie ihrer nur verhältnismäßig selten ausdrücklich Erwähnung tun, daß sie in der Regel das christliche Gebet als Anbetung Gottes beschreiben, ist freilich richtig. Aber es beweist nicht, daß Paulus gehindert gewesen wäre, die Anbetung Christi als charakterisierendes Merkmal der christlichen Gemeinden zu bezeichnen, da er ja von der Anbetung Gottes, welche die Christenheit mit dem Judentume, ja bis zu einem gewissen Grade sogar mit dem Heidentume teilte, in der bewußten Beziehung gar keinen Gebrauch machen konnte. Die sprachliche Argumentation Christs aber hat schon A. Seeberg in seiner Schrift „die Anbetung des ‚Herrn‘ bei Paulus“ 1891 entkräftet durch den dreifachen Nachweis, daß 1. die Bedeutung der hebräischen Formel nur in einigen wenigen Fällen zweifelhaft sein kann, daß die Formel in allen übrigen sicher mit „anrufen“ oder „zurufen“ zu übersetzen ist, daß 2. der griechische Ausdruck in der Septuaginta (der alexandrinischen Übersetzung des Alten Testaments) niemals im Sinne des Bekenntnisses oder der Predigt, sondern nur in dem des Anrufens gebraucht ist, ja daß 3. die Formel im Sprachgebrauche der Septuaginta direkt spezifische Bezeichnung der Anrufung Jahwes ist, insofern die Fälle, wo das Wort anders verwandt ist, seltene Ausnahmen darstellen. Vollends wird, setzen wir hinzu, wer den häufigen Gebrauch der griechischen Formel in antiken Zaubertexten kennt, wo das „ich rufe dich an“ geradezu als Synonymum von „ich beschwöre dich“ begegnet, daran nicht mehr zweifeln können, daß Paulus 1. Kor. 1,2 die Anbetung Christi als das Charakteristikum der Christen bezeichnen wollte. — Eine letzte Bestätigung erbringt Röm. 10,12 f., wo wir lesen: „Es ist kein Unterschied zwischen Juden und Griechen; denn ein und derselbe ist Herr über alle, er, der da reich ist für alle, die ihn anrufen. Denn jeder, der den Namen des Herrn anrufen wird, wird errettet werden.“ Der letzte Satz ist Zitat aus Joel 3,5, wo mit Bezug auf Gott gesagt ist: wer seinen Namen anrufen wird, wird errettet werden. Paulus hat somit kein Bedenken getragen, jene auf die Anrufung Gottes gehende Verheißung auf Christum zu beziehen, d. h. er hat keinen Anstand genommen, Christo nicht bloß göttliche Retterqualität, nein auch das Recht auf Anrufung, er möge diese Retterqualität bewähren, zu vindizieren. Aber auch, ganz abgesehen von jenem Zitate, fordern doch wohl schon die voraufgehenden eigenen Worte Pauli „er, der da reich ist für alle, die ihn anrufen“ die Deutung: er, der da fähig ist, aus seinem Reichtume, dem Reichtume seines Heils, allen mitzuteilen, die sich bittend an ihn wenden.

An dritter Stelle sei auf Phil. 2,9 ff. verwiesen: „Darum hat ihn auch Gott über alle Maße erhöht und ihm den Namen gegeben, der über alle Namen ist, damit im Namen Jesu sich beugen alle Kniee derer, die im Himmel und auf Erden und unter der Erde sind, und alle Zungen bekennen, daß Herr sei Jesus Christus, zur Ehre Gottes des Vaters.“ Wer ist's, vor dem alle Himmlischen, Irdischen und Unterirdischen ihre Kniee beugen sollen? Da am Schlusse die Rede ausdrücklich auf Gott kommt („zur Ehre Gottes des Vaters“), könnte man geneigt sein, an Gott zu denken. Berücksichtigt man indes die zweite Hälfte des Absichtssatzes (Vers 11) und dies, daß beide Hälften (Vers 10 u. 11) offenbar einen Parallelismus membrorum bilden, d. h. einen Gedanken zweimal mit wechselnden Worten wiedergeben, so wird man schwerlich umhin können, Christum als das Objekt der Kniebeugung aller Wesen in Anspruch zu nehmen. Denn eben nur in diesem Falle entsprechen einander wirklich die beiden in den Versen 10 u. 11 ausgesprochenen Gedanken des Kniebeugens und des Bekenntnisses zu Jesu Herrenwürde. Unserer Philipperbriefstelle kommt nun aber eine um so größere Bedeutung zu, als die Worte vom Sichbeugen aller Kniee und vom Bekennen aller Zungen eine Reminiszenz an ein Prophetenwort (Jes. 45,23: „Mir [Jahwe] soll sich beugen jedes Knie, mir soll schwören jede Zunge“) darstellen, das von unserem Apostel in einem anderen Zusammenhange (Röm. 14,11) bereits zitiert und hier dem Grundtexte entsprechend direkt auf Gott bezogen ist.

Die einwandfreiesten Zeugen aber für die von Paulus geübte, bezw. vorausgesetzte Anbetung Christi sind die in seinen Briefen vorliegenden direkten Proben einer solchen Gebetspraxis.

Ich denke hier zuvörderst an die 1. Kor. 16,22 sich findende aramäische Formel Maranatha, die heutzutage alle kompetenten Gelehrten so auflösen: Marana tha = (unser) Herr, komme, so daß die Worte also genau der Schlußbitte der Apokalypse „komm, Herr Jesus!“ entsprechen.

Ich denke zweitens an 2. Kor. 12,8 f.: „Dreimal habe ich den Herrn gebeten, daß er (der Satansengel) von mir wiche, und er hat mir gesagt: es genügt dir meine Gnade; denn die Kraft kommt in Schwachheit zur Vollendung." Daß unter dem Herrn hier Christus zu verstehen ist — an sich schon das Wahrscheinlichste, weil der Name „der Herr" in der Regel Christum bezeichnet —, beweist die unmittelbare Fortsetzung unsers Ausspruchs (Vers 9b): „Am liebsten werde ich mich darum vielmehr der Schwachheiten rühmen, damit sich auf mich niederlasse die Kraft Christi." Ist das eine Mal von der Gnadenkraft des Herrn, das andere Mal von der Kraft Christi die Rede, so muß daraus doch wohl auf Identität des Herrn und Christi geschlossen werden.

Ich berufe mich drittens auf 1. Thess. 3,11 f.: „Er selbst aber, Gott, unser Vater, und unser Herr Jesus möge unsern Weg zu euch ebnen; euch aber lasse der Herr zunehmen und überreich werden an der Liebe zueinander und zu allen u. s. f." Gewiß, wir haben es hier mit einem Gebetswunsche zu tun. Die Personen, von denen Paulus die Erfüllung seines Begehrens erwartet, sind daher in der dritten Person genannt, nicht angeredet. Aber diese Beobachtung ändert doch nicht das Geringste daran, daß uns unsere Stelle ein Recht gibt zu dem Urteil: Paulus kennt zwei Adressaten seines Gebetes, Gott und Jesus. Freilich sind die beiden Adressaten auch wieder, so paradox es klingen mag, vermöge der engsten Zusammengehörigkeit von Vater und Sohn nur einer. Wie lebendig Pauli Empfindung hierfür gewesen ist, beweist am allerbesten der Umstand, daß der Apostel eben an unserer Stelle unwillkürlich, trotz des doppelten Subjektes „Gott unser Vater" und „unser Herr Jesus", das Prädikat in den Singularis setzt „möge ebnen" und im folgenden dann überhaupt nur noch von „dem Herrn" redet. — Mit diesem Gebetswunsche 1. Thess. 3,11 f., der insofern freilich ein besonderes Gepräge hat, als er auf ein bestimmtes äußeres Geschehen abzielt, gehören sachlich alle die zahlreichen übrigen Gebetswünsche aufs Engste zusammen, die sich entweder an Christum allein oder neben Gott auch an ihn richten. Der ersteren zähle ich nicht weniger als sieben, der letzteren zehn.

Für unsere These, daß Paulus eine Anbetung Christi kennt, billigt, übt, spricht endlich Eph. 5,19: „Singet und spielet mit eurem Herzen dem Herrn" und eventuell Phil. 1,3, falls nämlich, wofür sich mancherlei geltend machen läßt, die Lesart des Codex D (einer Handschrift des Neuen Testaments mit vielen merkwürdigen Lesarten) für ursprünglich angesehen werden darf: „Ich meinerseits danke unserm Herrn u. s. f."

Angesichts des dargelegten exegetischen Befundes erscheint es kaum verständlich, wie Ed. v. d. Goltz (vgl. sein Buch „Das Gebet in der ältesten Christenheit" 1901) auf die Meinung verfallen konnte, die Anbetung Jesu, so wie von ihr in den paulinischen Briefen die Rede ist, sei als eine ganz individuelle Eigentümlichkeit der paulinischen Frömmigkeit zu beurteilen, sie ruhe auf einer rein persönlichen Beziehung religiöser Art, die in dem Offenbarungserlebnis bei Damaskus ihren Anfang genommen und seitdem das religiöse Empfindungsleben des Apostels so beherrscht habe, daß dieser innere Verkehr mit Christus zuweilen auch isoliert von der Beziehung zu Gott erscheine. Für diese Auffassung läßt sich, soweit ich sehen kann, kein einziges triftiges Argument beibringen. Denn die Tatsache, daß sich Paulus besonderer Christusgesichte und Christusoffenbarungen rühmen durfte (vgl. 2. Kor. 12,1), ist doch kein stichhaltiger Beweis dafür, daß jene ekstatischen Erlebnisse den eigentlichen oder gar einzigen Entstehungsgrund der von den paulinischen Briefen bezeugten Anrufung Jesu darstellen. Auch ist Paulus selbst jedenfalls sehr weit von der Meinung entfernt gewesen, daß seine Frömmigkeitspraxis irgendwelche Züge aufweise, die nicht Anspruch auf Allgemeingültigkeit erheben dürften. Vor allem aber wird ja jene Hypothese direkt widerlegt durch 1. Kor. 1,2, wo eben schlechtweg alle Christen als „die den Namen unsers Herrn Jesu Christi anrufen" charakterisiert werden.

Die Frage kann mithin nur sein: in welchem Sinne redet Paulus von einer Anbetung Christi? Versteht er darunter wirklich eine Anbetung in absolutem oder etwa nur eine solche in relativem Sinne? Zugunsten der letztgenannten Möglichkeit könnte geltend gemacht werden 1. daß Paulus die Unterordnung des Sohnes unter den Vater lehrt, 2. daß sich — eine offenbare Folge des unter Nr. 1 Gesagten — das Gebet in den paulinischen Schriften in der Regel direkt an Gott richtet, endlich 3. daß zu einer bloß relativen Anbetung des Sohnes die spätjüdische Engellehre ein lehrreiches Analogon darbieten würde. Denn das Spätjudentum legt den Engeln, zumal den Erzengeln auch insbesondere eine fürbittende Funktion bei. Man vergl. Tobit 12,15: „Ich bin Rafael, einer von den sieben heiligen Engeln, welche die Gebete der Heiligen hinauftragen und zu der Herrlichkeit des Heiligen Zutritt haben"; Hen. 40,6: „Die dritte Stimme (die Stimme Gabriels) hörte ich bitten und beten für die Bewohner des Festlandes und Fürbitte einlegen im Namen des Herrn der Geister"; 47,2: „In diesen Tagen (den Tagen des Gerichts) werden die Heiligen, die oben in den Himmeln wohnen, einstimmig fürbitten, beten, loben, danken und preisen den Namen des Herrn der Geister wegen des Blutes der Gerechten und wegen des Gebets der Gerechten, daß es vor dem Herrn der Geister nicht vergeblich sein möge"; vgl. ferner die apokryphe „Himmelfahrt Jesajä" 9,23 und die Testamente der zwölf Patriarchen (Dan K. 6).

Ich kann jedoch keines der genannten Argumente für durchschlagend ansehen. Wohl vertritt Paulus zweifellos die Subordination des Sohnes unter den Vater. Denn, um nur einige Belege beizubringen: der Vater ist's ja, der den Sohn sendet (Röm. 8,3; Gal. 4,4); der Vater, der ihn schonungslos dahingibt (Röm. 8,32), der ihn für uns zur Sünde macht (2. Kor. 5,21); der Vater ist's, der den Sohn auferweckt von den Toten (Röm. 4,24), der ihn erhöht und ihm den Namen über alle Namen „aus Gnaden schenkt" (Phil. 2,9). Ja 1. Kor. 15,28 kennzeichnet unser Apostel den Schlußpunkt des großen endgeschichtlichen Dramas mit den Worten: „Ist ihm (dem Sohne) alles unterworfen, dann wird sich auch der Sohn selbst dem unterwerfen, der ihm alles unterworfen hat, damit Gott sei alles in allem." Allein auf der anderen Seite zeichnet Paulus doch nicht minder deutlich das Verhältnis Christi zum Vater nicht sowohl als das der Unter-, als vielmehr als das der Gleich- und Nebenordnung. Christus hat in Gottesgestalt präexistiert, so sagt er uns Phil. 2,6, und zugleich läßt er klar hindurchblicken, daß eben diese Gottesgestalt im Gegensatze zu der Knechtsgestalt, die er später annahm, seinem Wesen allein voll entspreche (vgl. auch 2. Kor. 8,9). So ist Christus denn auch bereits an der Weltschöpfung beteiligt gewesen (1. Kor. 8,6; Kol. 1,16) und ist von Anfang an auch den Engeln übergeordnet (Kol. 1,16). Und seit seiner Erhöhung thront er als „Gottessohn in Kraft" (Röm. 1,4) zur Rechten Gottes (Röm. 8,34; Eph. 1,20; Kol. 3,1). Er ist gesetzt über jede Hoheit und Gewalt und Macht und Herrschaft und jeden Namen, der genannt wird, nicht allein in dieser Welt, sondern auch in der zukünftigen (Eph. 1,20 f.); die Fülle der Gottheit wohnt in ihm vollständig, einheitlich

(Kol. 2,9), und er verfügt gleich Gott souverän über Gnade und Erbarmen (vgl. z. B. Röm. 1,5; 5,15; 1. Kor. 7,25; 16,23; 2. Kor. 12,9; 13,13; Gal. 6,18; Phil. 4,23). Aber auch jene scheinbar streng subordinatianischen Aussagen, auf die wir soeben hingewiesen haben, verlieren wesentlich an Gewicht, sobald wir ihnen ein wenig näher nachdenken. Gewiß, die Menschwerdung und der Tod des Sohnes sind das Werk des Vaters, aber zugleich doch auch des Sohnes eigenes Werk; denn der Sohn entäußert und erniedrigt sich freiwillig (2. Kor. 8,9; Phil. 2,5 ff.), sie sind also Taten nicht bloß der Liebe des Vaters, sondern auch der des Sohnes (vgl. z. B. Röm. 5,5 ff.). Der Vater hat dem Sohne den Namen und die Machtstellung des „Herrn" aus Gnaden geschenkt, aber nur darum, weil der Sohn sich beide schenken lassen wollte, weil er den Weg der Selbstentäußerung dem der Selbstbereicherung vorzog (Phil. 2,5 ff.). Und endlich darf sicherlich auch jene Aussage von der Herrschaftsübergabe Christi an den Vater nicht in dem Sinne, als ob der Sohn in jenem Zeitpunkte auf seine göttliche Würdestellung Verzicht leisten werde, sondern nur dahin verstanden werden, daß er dann von seiner „heilsmittlerischen Herrschaft", die sich ja nach Vollendung des Heilswerkes gänzlich erübrigt, zurücktreten wird. Denn der göttlichen Wesenheit, die ihm ursprünglich eignet, die die Voraussetzung für sein Betrautwerden mit dem Amte des Heilsmittlers gewesen ist, kann er doch infolge Niederlegung dieses seines ihm nur für eine bestimmte Zeit übertragenen Amtes unmöglich verlustig gehen. — Somit aber schrumpft die von Paulus gelehrte Subordination Christi schließlich doch zu einer solchen zusammen, wie sie eben mit seinem Sohnesstande ohne Weiteres gesetzt und gegeben ist. Da immerhin an dieser Subordination in den Schriften unseres Apostels festgehalten ist, kann es auch nicht Wunder nehmen, daß sich das paulinische Gebet in der Regel an den Vater wendet.

Daß die Anbetung Christi nicht als eine relative gedacht ist, erhellt aber vor allem aus der Erwägung, daß sie in diesem Falle doch nur als Anrufung des Sohnes als des Gebetsvermittlers, bezw. Gebetsbefürworters vorgestellt sein könnte. Daß aber die Wendungen „danken durch Christum" und „danken im Namen Christi" jedenfalls nicht so verstanden sein wollen, haben wir bere itsgesehen. 2. Kor. 12,8 spricht vollends direkt gegen jene Auffassung. Denn hier wendet sich Paulus nicht an Christum als bloßen Mittelsmann seiner Bitte um Genesung vom leiblichen Elend, nein er redet ihn ganz direkt daraufhin an, ihm jenen Herzenswunsch zu erfüllen. Ebenso ist 1. Thess. 3,11 f. auf Jesum nicht als auf den Vermittler des paulinischen Gebetswunsches, sondern als auf eine Instanz, von der die Erfüllung dieses Wunsches direkt abhängt, reflektiert. Selbst Röm. 8,34 führt nicht auf jene Vorstellung. Zwar ist hier von einem Eintreten des Sohnes für die Seinen die Rede, aber nur von einem Eintreten gegen etwaige Anklagen, die sich wider sie erheben, nicht dagegen von einem Befürworten der Bitten der Christen, die im Zusammenhang überhaupt gar nicht in Frage stehen. Eher noch könnte, was zuvor V. 26 und 27 des gleichen Kapitels über das Eintreten des Geistes für die Christen für den Fall, daß sie zu eigenem Gebet zn schwach sind, gesagt ist, für jene Meinung ins Feld geführt werden. Ist doch der heilige Geist der Geist des erhöhten Christus. Allein, ganz abgesehen davon, daß Christus doch mit dem Geiste nicht direkt identisch ist, ist der Geist hier ja gar nicht als das Gebet an Gott vermittelnd, sondern als das Gebet überhaupt erst ermöglichend vorgestellt, und überdies sind an unserer Stelle nicht normale, sondern Ausnahmeverhältnisse ins Auge gefaßt, deren besondere Begleitumstände also nicht als typisch angesehen werden dürfen.

Mit dem allem soll natürlich nicht jede Möglichkeit in Abrede gestellt sein, daß Paulus etwa doch irgendeinmal oder selbst wiederholt den Gedanken „Christus der Befürworter der christlichen Gebete" gebildet und ausgesprochen habe. Seine „subordinatianische" Christologie ist derart, daß sie die betreffende bildliche Redeweise nicht direkt verwehrt, wenn sie dieselbe auch allerdings noch weit weniger fordert. Aber selbst in dem hiermit gesetzten Falle wären wir nicht zu der Annahme gezwungen, daß der Apostel eine nur relative Anbetung des Sohnes vertreten habe. Denn er weist ja Christo zweifellos einen weit höheren Rang und eine weit größere Macht zu als den Engeln. Er müßte infolgedessen in jenem Falle auch der Fürbitte Christi eine unvergleichlich gewaltigere Wirkungskraft zugeschrieben haben, als sie nach dem Glauben der Juden der Fürsprache der Engel zukam. Mit anderen Worten, die hohe Christologie Pauli würde die Annahme einer unfehlbaren Wirkung der Fürbitte Christi fordern. Zwischen dieser Vorstellung aber und der Vorstellung einer von Christus selbst gewährten Erhörung der betreffenden Bitte dürfte sachlich überhaupt kein Unterschied mehr gemacht werden können. In Wirklichkeit aber ist ja jene Reflexion auf Christi Fürbitte in den uns erhaltenen Paulusbriefen überhaupt nirgends nachweisbar, ein Tatbestand, der zu dem Urteil zwingt: in Pauli Denken kann jene Idee keinesfalls eine bedeutsame Rolle gespielt haben. Und allerdings zeigt ja auch der Apostel gar kein Interesse daran, Sohn und Vater auseinanderzuhalten, dagegen das allerlebhafteste, sie, denen er beiden gleichmäßig das Prädikat „der Herr" zuerteilt, und auf die er die von Gott handelnden alttestamentlichen Aussprüche abwechselnd bezieht, aufs engste zusammenzuschauen. Das ist aber eine Betrachtungsweise, der die Frage, welche der beiden göttlichen Potenzen nun im einzelnen Falle zu nennen oder auch direkt anzureden sei, unzweifelhaft schließlich als völlig irrelevant erscheinen mußte.

Haben wir über die Adresse des paulinischen Gebetes notgedrungen ausführlicher handeln müssen, so dürfen wir uns bei Erörterung der noch außenstehenden Punkte unserer Untersuchung wesentlich kürzer fassen.

Was zunächst den Inhalt der betreffenden Gebete anlangt, so stehen zweifellos Preis und Dank beherrschend im Vordergrunde. Der Grund ist die in Paulus mit so besonderer Intensität lebende Empfindung der absoluten Abhängigkeit seines und jedes Christen ganzen Seins von Gott, wie sie sich einen klassischen Ausdruck gegeben hat ebensowohl in dem jedem Christen geltenden Zurufe „Was hast du, das du nicht empfangen hast?" (1. Kor. 4,7) wie in dem persönlichen Bekenntnisse des Apostels „Durch Gottes Gnade bin ich, was ich bin" (1. Kor. 15,10). Wohl richtet sich Pauli Blick auch sehnsüchtig auf die Zukunft, auf den Endzustand des Befreitseins von diesem Todesleibe, auf das Daheimsein beim Herrn, auf das Mitverklärtwerden und Mitherrschen mit Christo, aber es hält seinem Blicke in die Zukunft nicht bloß die Wage, nein, es wiegt vor ihm vor der Blick auf die Vergangenheit, auf den gewaltigsten Umschwung, den nicht bloß seine individuelle, sondern die gesamte Weltlage bereits erfahren hat. Die Christen sind schon gerettet, der entscheidende Wendepunkt ihres Lebens liegt hinter ihnen, vor ihnen nur die Wandlung, welche die auf jenen Wendepunkt sich zurückführende Entwicklung der neuen Lebenszuständlichkeit zu ihrer Vollendung, zu ihrer endlichen Ausgestaltung in Herrlichkeit führen soll. — Erscheint es unter diesen Umständen sehr leicht begreiflich, daß Preis und Dank im paulinischen Gebetsleben den breitesten Raum einnehmen, so nicht minder leicht, daß bei unserem Apostel das persönliche Dankgebet wieder seinerseits vorwiegt vor dem huldigenden, ehrfurchtsvollen Lobpreise. Wohl findet sich auch in seinen Briefen die Formel „Gott sei gepriesen" (vgl. 2. Kor. 1,3; Eph. 1,3; Röm. 1,25; 9,5; 2. Kor. 11,31), aber das Häufigkeitsmaß ihrer Verwendung läßt sich nicht vergleichen mit dem massenhaften Gebrauche, den die rabbinischen Gebete, allen voran das Schmone Esre von den entsprechenden aramäischen oder hebräischen Wendungen machen. Umgekehrt spielen bei Paulus die Termini „Danken" und „Dank" eine hervorstechende Rolle. Beides darf, sagen wir mit v. d. Goltz, nicht als zufällig gelten: „Die jüdische Frömmigkeit blieb eben meist stehen bei dem ehrfurchtsvollen Lobpreis des Höchsten, und der Dank für seine Wohltaten geschah in den Formen der Huldigung. Der Geist Christi hingegen lehrte, dem heiligen Gotte danken, wie ein Kind seinem Vater dankt, und so trat auch in der religiösen Terminologie das Wort in den Vordergrund, das diesen persönlichen Klang hatte."

Daß in dem Umgange der Seele mit Gott, wie ihn Paulus wünscht, neben Preis und Dank auch die Bitte dauernd einen hervorragenden Platz beanspruchen darf, bezeugt allein schon ein Ausspruch wie der des Philipperbriefs (4,6): „Sorget euch um nichts, sondern in jedem Stücke mögen eure Anliegen mit Gebet und Bitte unter Danksagung vor Gott kund werden". Aber, wenn es hiernach scheinen möchte, als ob unserem Apostel eine sachliche Einschränkung der Bitten, eine Einschränkung rücksichtlich ihres Inhalts, völlig fern gelegen habe, so droht uns doch an dieser Annahme eine Beobachtung sofort wieder irre machen zu wollen: für ein Gebet scheint nach Pauli Meinung im Christenleben überhaupt kein Platz mehr vorhanden zu sein, nämlich für die Bitte um Vergebung, für das Bußgebet. Denn in der Tat, er erwähnt dasselbe an keiner einzigen der doch so zahlreichen Stellen, an denen er vom christlichen Gebetsleben handelt. Behufs Erklärung dieses eigenartigen Tatbestandes muß jedenfalls von der neuerdings mit Recht energisch in den Vordergrund geschobenen Beobachtung ausgegangen werden, daß Paulus zwischen dem christlichen Jetzt und dem vorchristlichen Einst die denkbar schärfste Scheidelinie gezogen sieht: einst ein Knecht der

Sünde, jetzt ein Knecht der Gerechtigkeit, einst dem Zwange des Bösen unterworfen, jetzt ausgeliefert an die Wundermacht des alles neu schaffenden, neugebärenden Gottesgeistes. Von hier aus wird es verständlich, daß Paulus das Christenleben stark optimistisch beurteilen mußte. Gewiß, auch ihm steht fest, daß kein Christ gegen jede Möglichkeit einer sittlichen Niederlage völlig gefeit ist (man vgl. besonders Gal. 6,1), aber noch gewisser als der Eintritt solcher Verfehlungen im Christenleben ist ihm die unbedingte Vergebungsbereitschaft des Vaters Jesu Christi. Denn das Kreuz ist eine Gnadenproklamation, die fortdauernde Gültigkeit besitzt. Was Wunder daher, wenn unser Apostel im festen und gewissen Vertrauen auf diese absolute Verläßlichkeit der göttlichen Gnade da, wo er genötigt ist, seinen Blick auf die Sünde im Christenleben gerichtet zu halten, den Hauptnachdruck auf die an den allein unverläßlichen Faktor, den menschlichen Willen, sich richtende Mahnung zu einem nie endenden Kampfe wider die Macht der Sünde legt?! Zu der Annahme dagegen, daß er von einem Bußgebete im Christenleben überhaupt nichts gewußt habe oder gar nichts habe wissen wollen, sind wir durch den tatsächlichen Befund der Briefe keineswegs gezwungen. Und dies um so weniger, als uns Röm. 8,15 und Gal. 4,6 vollkommen zu dem Urteile berechtigen, daß der Apostel das Vaterunser gekannt, also auch die 5. Bitte anerkannt hat.

Im Vordergrunde der Bitten steht die Fürbitte. Es ist das die natürliche Folge davon, daß die paulinischen Briefe samt und sonders seelsorgerliche Ansprachen sind. Der große Wert aber, den Paulus auch der Fürbitte der Leser für ihn und für die übrigen Christengemeinden hin und her beilegt, erklärt sich zwar zuvörderst daraus, daß er in der Fürbitte eben den nächsten und notwendigsten Ausdruck wahrer Bruderliebe sieht, gibt aber andererseits wohl auch Anlaß zu der Vermutung, daß der Apostel auch direkt auf die psychologische Wirkung solcher Fürbitte, das Erstarken eines intensiven Gemeinschaftsbewußtseins, reflektiert hat. Er hat mit der warmen Befürwortung der Übung der Fürbitte, des gemeinsamen Gebetskampfes (als ein „Mitkämpfen" charakterisiert er ja das gemeinsame Gebet) offenbar der wahrhaft katholischen Idee innerhalb der bis dahin noch durch keinerlei äußeres Band mit einander vereinigten einzelnen Gemeinden eine Bahn nicht bloß tatsächlich gebrochen, nein auch brechen wollen.

Daraus erklärt sich auch bereits einigermaßen, daß Paulus — soweit seine ausdrücklichen Aussagen in Betracht kommen — der christlichen Fürbitte enge Grenzen gezogen hat.

Wenigstens hat er nirgends direkt der Fürbitte für Nichtchristen das Wort geredet. Auffallend ist dies gewiß in hohem Grade, auffallend insonderheit, wenn man bedenkt, daß Jesus seinen Jüngern die Pflicht der Fürbitte selbst für die Feinde eingeschärft hat. Allerdings indirekt hat Paulus, was wir vermissen, doch getan. Da nämlich, wo er die Gemeinden (und er tut dies oft genug) beten heißt für den Fortgang seines, des Apostels, Werk. Denn eben da heißt er sie ja beten für die Evangelisierung der Welt. Daß er aber seine Person und seine Wirksamkeit so in den Vordergrund rückt, hängt natürlich damit zusammen, daß er die Fortschritte der Sache Christi ganz wesentlich an seine Person gebunden weiß, also mit seinem außerordentlichen Berufsbewußtsein. Und selbstverständlich auch damit, daß es ihm in seinen Briefen auch stets darum zu tun war, das persönliche Band zwischen den Lesern und sich selbst immer fester zu knüpfen. Aber mit diesen Beobachtungen und der ebenfalls schon angestellten Erwägung, daß unserm Apostel die Gemeinde Jesu Christi naturgemäß als der nächste Bereich für die Auswirkung der christlichen Liebe und der christlichen Fürbitte erscheinen mußte, ist das Problem, das hier in Frage steht, doch noch keineswegs vollbefriedigend gelöst. Gelöst wird es erst, wenn wir zunächst rund zugestehen, daß für unsern Apostel allerdings der Gedanke „Dein Reich komme, dein Name werde geheiligt" durchaus im Vordergrunde gestanden hat, dagegen die Reflexion auf den religiös-sittlichen Jammer der außerchristlichen Welt, auf die ihr drohende Gefahr, der Verdammnis anheimzufallen, erst in zweiter Linie in Betracht kam, und wenn es uns sodann gelingt, die Gründe dieses Tatbestandes aufzuhellen. Dieses letztere Unternehmen ist aber ein überaus leichtes. Denn es gehört gewiß nicht viel Nachdenken dazu, um einzusehen, daß für einen Juden der Gedanke der Verherrlichung Gottes bei jeder Art von Propaganda durchaus im Vordergrunde stehen mußte. Man denke nur an die universalistischen Psalmen und ihre Aufforderungen an alle Heiden, Gott zu loben und zu preisen, sowie an das, worauf neuerdings auch speziell von jüdischer Seite mit besonderem Nachdruck hingewiesen worden ist, daß nämlich im Spätjudentume die Idee der Heiligung des Namens Gottes eine besonders hervorragende Rolle gespielt hat. Nicht minder leicht aber versteht sich, daß für den Christen Paulus zu der Rücksicht auf die Verherrlichung Gottes noch der glühende Eifer für Christi Ehre hinzutrat. „Ist einer für alle gestorben“ — dies ist ja Pauli christliches Grundbekenntnis — „so sind sie alle gestorben; und für alle ist er gestorben, auf daß, die da leben, nicht mehr sich selbst leben, sondern dem, der für sie gestorben und auferweckt ist.“ In konsequenter Abfolge hiervon betrachtet er sich als einen Priester Jesu Christi, der die bekehrten Heiden Gotte als Opfer darbringt (vgl. Röm. 15,16), und bezeichnet er die Erstbekehrten Asiens und Achajas als „Erstlingsopfer“ (vgl. Röm. 16,5 und 1. Kor. 16,15). Das „alles zur Ehre Gottes, bezw. Christi“ leuchtet hell über seiner gesamten Missionarslaufbahn.

Aber mit dem Eifer für Gottes und Christi Ehre verbindet er doch zugleich herzliches Erbarmen mit der nichtchristlichen Welt, ein Erbarmen, das sich auch, wenigstens soweit Israel in Frage kommt, Ausdruck verschafft hat in brünstiger Fürbitte. „Ich wünschte verbannt zu sein von Christus weg für meine Brüder, meine Stammverwandten nach dem Fleische“ ruft er Röm. 9,3 aus, und im Anfange des folgenden Kapitels bedient er sich der noch deutlicheren Worte: „Brüder, das Sehnen meines Herzens und mein Gebet zu Gott für sie geht auf ihr Heil“. Sollte er nun für die, denen sein Lebenswerk in erster Linie galt, sollte er für die Heiden wirklich, wie man neuerdings geurteilt hat, weniger herzlich empfunden haben? Es ist dies im höchsten Maße unwahrscheinlich und wird direkt widerlegt schon durch die Beteuerungen, die wir 1. Kor. 9,19 ff. lesen, wo er, sich selbst als Muster demütig dienender Liebe hinstellend, ausführt, wie er nicht bloß den Juden ein Jude, nein auch den Heiden ein Heide geworden sei, um auch sie zu „gewinnen“. Denn daß dieses „Gewinnen“ nicht als ein Gewinnen für Christus, als Opfer- und Ehrengabe an ihn, vielmehr als ein Gewinnen zum Heile vorgestellt ist, lehrt nicht bloß der gesammte Zusammenhang, sondern auch ausdrücklich der Abschluß der ganzen Periode: „Allen bin ich alles geworden, um auf allerlei Weise etliche zu erretten“ (Vers 22). Doch auch noch eine andere Aussage Pauli können wir für unsere Behauptung ins Feld führen. Es sind die Worte 1. Thess. 3,12: „Euch aber lasse der Herr zunehmen und überreich werden an der Liebe zu einander und zu allen, wie auch wir euch gegenüber (uns verhalten haben)". Die letzten Worte geben nur dann einen guten Sinn, wenn sie besagen: wie auch wir euch beides, Bruder- und Menschenliebe, bewiesen haben, Bruderliebe nach, Menschenliebe, werbende Menschenliebe vor eurer Bekehrung.

Aber hat nicht trotz allem Paulus der Fürbitte ganz bestimmte Grenzen gezogen? So scheint es zum mindesten, sobald man den Anfang des Galater- und das Ende des 1. Korintherbriefes ins Auge faßt, wo er in dem einen Falle auf die, die ein anderes Evangelium predigen als er, im anderen Falle auf die, welche den Herrn nicht liebhaben, das Anathem herabruft, also sie nicht nur nicht der Gnade Gottes befiehlt, nein im Gegenteil an den Zorn und das Gericht Gottes förmlich überantwortet. Es scheinen diese Worte nicht sowohl in der Linie des Jesuswortes „Vater vergib ihnen; denn sie wissen nicht, was sie tun", als vielmehr ganz in der Linie der Worte 1. Joh. 5,16 zu liegen: „Wenn jemand sieht, sein Bruder begehe Sünde nicht zum Tode, so wird er bitten. — Es gibt Sünde zum Tode; nicht von dieser sage ich, daß er bitten solle". Indes abgesehen davon, daß auch an dieser johanneischen Stelle die Fürbitte nicht direkt verboten, sondern — in einem Zusammenhange, in dem unmittelbar zuvor der unbedingten Gewißheit der Erhörung der christlichen Bitte Ausdruck gegeben war — vom Verfasser nur dies ausgesprochen ist, daß er allerdings die beregten Fälle von seinem Gebote der Fürbitte ausnehme, ist immerhin im 1. Johannesbriefe die Möglichkeit einer völlig irreparablen religiös-sittlichen Zuständlichkeit deutlich ins Auge gefaßt, für deren Besserung zu beten natürlich ein völlig aussichtsloses Unternehmen wäre. Auf die Frage aber, ob Paulus jene Leute, die er im Galater- und 1. Korintherbriefe im Auge hat, für absolut irreparabel angesehen habe, erhalten wir keine Antwort. Das Anathem scheint eine Antwort zu sein, ist aber keine. Denn es besagt doch nur, daß die Irrlehrer als Irrlehrer, daß die, die Christum nicht lieben, als solche des Gerichts schuldig sind. Daß die Bekehrung jedes einzelnen unter ihnen ausgeschlossen sei, ist nicht gesagt, ja, daß Paulus dies angenommen habe, will sogar unwahrscheinlich erscheinen, sobald man sich des Wortes von der Liebe, die alles hofft, und der Tatsache erinnert, daß ihm ja sein eigenes Beispiel aufs klarste bewies, wie gleichsam über Nacht, wer heut ein Feind ist, morgen ein Freund werden kann. Endlich: sollte für einen Paulus der Gedanke unerschwinglich gewesen sein, dem Ignatius, der doch die Häresie auch ernst beurteilte, Ausdruck gibt (An die Smyrnäer 4): „Ich warne auch vor den Bestien in Menschengestalt, die ihr nicht allein nicht aufnehmen, nein, mit denen ihr, wenn es möglich ist, nicht einmal zusammentreffen sollt; nur beten sollt ihr für sie, ob sie sich etwa bekehren, was zwar schwierig ist, aber doch in der Macht Jesu Christi steht, der unser wahrhaftiges Leben ist"? Aber freilich, was Ignatius hier ausspricht, hat eben Paulus nicht ausgesprochen. Und so wenig wir nach allem Gesagten nun auch in der Lage sind, dem Apostel die Theorie zur Last zu legen: Irrlehrer sind absolut unverbesserlich, für sie darf daher keine Fürbitte getan werden, so deutlich springt doch dies in die Augen: seine Praxis, zum mindesten seine reguläre Praxis hat eine Fürbitte für jene der Gemeinde so besonders bedrohlichen Elemente nicht gekannt.

Auf die Frage nach dem Geiste des paulinischen Gebetes kann unsere erste Antwort nur dahin lauten: Paulus betete persönlich und leitete seine Gemeinden an zu einem Beten voll unbedingter Zuversicht. Zweifel, ob es überhaupt eine Erhörung gebe, Skrupel, wie dieselbe sich mit Gottes allgemeinem Weltregimente vertrage, haben ihm sicher niemals zu schaffen gemacht. Wie von Gottes unendlicher Liebe, so ist er auch von seiner grenzenlosen Macht unverbrüchlich überzeugt. Er teilt den Glauben Abrahams an den Gott, der die Toten lebendig macht und das, was noch nicht existiert, benennt, als existiere es bereits (Röm. 4,17). Er weiß, Gott kann überschwenglich mehr tun als alles, was wir erbitten, ja mehr, als wir zu verstehen vermögen (Eph. 3,20), und er kennt einen Herrn, der reich ist für alle, die ihn anrufen (Röm. 10,12). — Mit diesem unbegrenzten Vertrauen auf Gottes Macht und Güte geht eine demutsvolle Ergebung in seinen Willen Hand in Hand. Paulus weiß, daß auch der Christ nicht bei jeder seiner Bitten sicher ist, mit Gottes Sinn und Absichten zusammenzutreffen, und darum betet auch er mit dem Vorbehalte: „nicht wie ich will, sondern wie du willst" (vgl. Röm. 1,10). Ein Ertrotzen der Erhörung seiner Bitte, wie es von dem berühmten jüdischen Beter Onias uns berichtet wird, der zur Zeit einer Dürre einen Kreis um sich gezogen haben soll mit der Erklärung, denselben nicht eher verlassen zu wollen, als bis der erbetene Regen gefallen sei, lag ihm gänzlich fern. Erhört Gott seine Bitte nicht oder ganz anders, als er es gewünscht oder gemeint hatte, so fügt er sich dem ohne Murren (2. Kor. 12). — Vor allem trägt sein Gebetsleben den Charakter der Inbrunst. Wie er seine Gemeinden ohne Aufhören zu unablässigem Gebete mahnt, so wird er selbst nicht müde im Loben und Danken, im Bitten und Fürbitten. Hierbei steigert sich seine Rede zuweilen bis zur Überschwenglichkeit (man vgl. etwa den Eingang des 1. Thessalonicherbriefes: „Wir danken Gott allezeit betreffs euer aller, indem wir euer bei unseren Gebeten gedenken in unablässiger Erinnerung an u. s. f."). Ist der Epheserbrief echt, so haben wir in seinen drei ersten Kapiteln, die nichts anderes als ein fortlaufendes Gebet, eine Danksagung und eine Fürbitte, sind, ein leuchtendes Dokument der Intensität seines Gebetslebens. Ein noch deutlicheres ist uns in jener Notiz über seine zungenrednerische Befähigung gegeben. Gleichwohl zeigt sein Beten im ganzen große Einfalt und Nüchternheit. Jenen ekstatischen Begleiterscheinungen legt er keinen sonderlichen Wert bei, ihrer Überschätzung seitens der korinthischen Gemeinde tritt er mit Nachdruck entgegen. Hiermit hängt aufs engste zusammen: sein Gebetsleben trägt geistlichen, aber keinen übergeistlichen Charakter. Der Standpunkt eines Origenes, der alles Bitten um Irdisches vermieden wissen will, war nicht der seine. Vor allem aber atmet sein Gebetsleben Freiheit und Innerlichkeit. Jede Schablone ist ihm fremd, „die Form frei nach dem Bedürfnis des Herzens gestaltet".

Das schließt natürlich nicht aus, daß er doch eine gewisse Ordnung in seinem Gebetsleben inne gehalten hat. Und daß er es getan, dafür sprechen, wie man mit Recht bemerkt hat, schon jene häufig von ihm gebrauchten Ausdrücke: „bei meinen Gebeten", „bei jedem Gebete", „unablässig", „immerdar". Angesichts dieser Wendungen und der Aussagen Röm. 14,6 und 1. Kor. 10,30 (vgl. auch Akt 27,35), die speziell auch seine Praxis des Tischgebets bezeugen, liegt gewiß nichts näher als die Annahme, daß er auch als Christ an der jüdischen Sitte des Morgen-, Mittag- und Abendgebetes und der Danksagung bei den Mahlzeiten festgehalten hat. Aus 1. Kor. 7,5 erhellt, daß er auch besondere längere, wohl über eine Reihe von Tagen sich erstreckende häusliche Betübungen gekannt und empfohlen hat, deren Einrichtung jedoch offenbar noch ganz dem Willen des einzelnen anheimgegeben war. Die von v. d. Goltz beigebrachten Argumente für eigentliche Nachtgebete des Paulus, die mit Nachtwachen verbunden gewesen seien, scheinen mir dagegen samt und sonders nicht stichhaltig zu sein.

Denselben Geist der Freiheit, der doch kein Geist der Unordnung war (vgl. 1. Kor. 14,33. 40), sehen wir schließlich auch beim Gebet in den Gemeindeversammlungen innerhalb des paulinischen Missionsbezirks wirksam. Wenn Paulus alle seine Briefe mit einem Segensgruße beginnt, so haben wir hierin vielleicht eine Nachbildung einer in seinen Gemeinden üblichen Sitte, die Versammlungen mit einem derartigen Spruche zu eröffnen, zu sehen. — Womit, nachdem sich, auf welche Weise auch immer, die Versammlung konstituiert hatte, die Reihe der eigentlichen Gemeindevorträge ihren Anfang nahm, läßt uns die 1. Kor. 14,26 gewählte Anordnung in der Aufzählung der verschiedenen Erbauungsweisen erraten. Es war hiernach wohl in der Regel ein Psalm. Dabei haben wir sicherlich nicht an dem alttestamentlichen Psalter entnommene Lieder zu denken, sondern an Psalmen, wie sie auf genuin christlichem Boden erwachsen, ja in erster Linie offenbar an solche, die von den Vortragenden selbst verfaßt waren. Ihre Art illustrieren in besonders lehrreicher Weise die mannigfachen durch die Apokalypse hin verstreuten Preisgesänge (vgl. besonders 4,11; 5,9 f. 12 f.; 7,10. 12; 11,15; 15,3 f.; 19,5. 6 ff.). Aber auch im weiteren Verlaufe der Versammlungen hat es an Gebetsvorträgen nicht gefehlt, zumal nicht — wenigstens in Korinth — von seiten der Zungenredner. Über diese seltsame Erscheinung brauche ich, da mit bezug auf ihre Beurteilung innerhalb der neueren Theologie volle Einigkeit besteht, nicht viele Worte zu machen. Daß die Zungensprache in der Tat, wie wir's bisher bereits durchweg vorausgesetzt haben, eine Gebetsweise gewesen ist, beweist besonders 1. Kor. 14,2: „Wer in Zungensprache redet, redet nicht zu Menschen, sondern zu Gott." Ihr ekstatischer Charakter aber erhellt eben so sehr aus der Tatsache, daß der, der sie ausübte, auf Ungläubige den Eindruck eines Rasenden machte (V. 23), als aus der ausdrücklichen Erklärung des Apostels, daß an dem glossolalischen Beten nur das Pneuma, der Geist, nicht der Nus, der Verstand, das klare Bewußtsein, beteiligt war (Vers 14). In unmittelbarem Zusammenhange mit dieser ihrer ekstatischen Natur stand denn auch die absolute Unverständlichkeit der Zungensprache, die nur für die mit einem ganz besonderen Charisma der Glossen-„Deutung" Begabten nicht vorhanden war (Vers 2: „Niemand versteht es, vielmehr redet er [der Zungenredner] im Geiſt Geheimnisvolles"). Die Zungenrede gleicht einem jeder Melodie entbehrenden, unklaren, wirren Flöten- und Zitherſpiele Vers 7, einem undeutlichen Trompetenſtoße Vers 8, dem Reden in die Luft Vers 9, dem Gebrauch einer unbekannten Sprache Vers 10 f. Daraus läßt ſich endlich wiederum ſchließen, daß ſie in einer Art Lallen oder Stammeln, in einem Hervorſtoßen abgeriſſener Wendungen und Worte beſtanden haben muß. Neuerdings hat man nun von verſchiedener Seite her, von theologiſcher und philologiſcher, auf gewiſſe in einigen Berichten über gnoſtiſche Kulte enthaltene ſehr merkwürdige Wortbildungen, bezw. Buchſtabenzuſammenſtellungen hingewieſen, in denen man vielleicht ein Analogon zu dem Phänomen der Zungenſprache erblicken dürfe. Und in der Tat ſcheint ein Buchſtabengefüge wie das in dem gnoſtiſchen Buche Pistis Sophia ſich findende: japhtha, japhtha, munaer, munaer, ermanuer, ermanuer am eheſten erklärbar, wenn man es als „konvulſiviſch hervorgeſtoßen und laut herausgeſchrieen" entſtanden denkt. Jedenfalls läßt ſich das Vorhandenſein eines zwiefachen Vergleichungspunktes zwiſchen den beiden fraglichen Erſcheinungen nicht ableugnen: 1. hier wie dort handelt es ſich um ſeltſame, unverſtändliche Laute, und 2. in dem einen wie in dem andern Falle fungieren „Hermeneuten", welche die Fähigkeit beſitzen, über die Gefühle und Gedanken, die den Ekſtatiſchen bewegen, Auskunft zu geben. — Die Erbauungsverſammlungen ſchloſſen aller Wahrſcheinlichkeit nach in ähnlicher Weiſe, wie ſie nach unſerer Vermutung begonnen hatten, mit einem Segensſpruche.

Wir faſſen zum Schluß das Ergebnis unſerer Erörterungen noch kurz zuſammen. Paulus hat ſeinen Gemeinden ein intenſives Gebetsleben vorgelebt und durch dieſes ſein Beiſpiel, zugleich aber auch durch ſeine unabläſſigen, eindringlichen Mahnungen zum Anhalten am Gebet in ſein perſönliches Gebetsleben hineinzuziehen geſucht und — auf das Ganze geſehen — gewiß auch kraftvoll de facto hineingezogen. Das Spezifikum aber dieſes Gebetslebens, das er ſelbſt pflegte und in anderen wachrief, haben wir in einem Zwiefachen zu ſehen: in ſeiner echten Kindlichkeit und in ſeiner dauernden Bezogenheit auf die Perſon des erhöhten Chriſtus. Daß der Apoſtel, indem er ſeine Gemeinden anleitete, voll nie endenden Dankes und in unbegrenztem Vertrauen Gott als Vater anzurufen, ein echter Schüler des Herrn Jeſus

Christus gewesen ist, liegt klar zutage. Die Frage ist nur, ob auch jenes andere, das er zugleich getan hat, dies, daß er in jedes Gebet in irgend einer Form, häufig direkt in die *Gebetsanrede* selbst, eine Mitbeziehung auf Christum aufnahm, in gleicher Weise dem Willen des geschichtlichen Jesus entsprach? Es versteht sich von selbst, daß wir diese bedeutsame Frage, diese Frage von wahrhaft prinzipieller Tragweite nicht hier am Schlusse kurzer Hand *erledigen* können. Aber eins, meine ich, dürfen und sollen wir noch tun: die allgemeine Richtung aufzeigen, in der die Antwort anf jene wichtige Frage zu suchen ist. — Außer Zweifel steht: Jesus hat für seine Person niemals Anbetung *gefordert*. Aber er hat sie durch seine gesamte Wirksamkeit, zu der natürlich auch seine Reden, zumal sein Selbstzeugnis gehören, in seinem Jüngerkreise *in's Leben gerufen* und zwar — was für uns in diesem Zusammenhange die Hauptsache ist — offenbar wissentlich in's Leben gerufen. Denn, indem er in seinem Selbstzeugnisse seiner Person für die Hörer seiner Verkündigung, ja für die gesamte Menschheit eine direkt zentrale Bedeutung zuwies, indem er, Gottes sich erbarmende, suchende und werbende Liebe in seinem gesamten Leben bis hin zum Tode am Kreuze nachbildend, Glauben und Liebe an und zu Gott offensichtlich dadurch zu erzeugen bestrebt war, daß er sie auf seine eigene Person hinlenkte, indem er die Hingabe des Herzens an Gott durch Weckung des Entschlusses zur Nachfolge in seinen, des Sohnes, Fußstapfen zu erwirken sich angelegen sein ließ, hat er sich im vollen Bewußtsein davon, was er hiermit tat, direkt in den Mittelpunkt des Glaubens- und Liebeslebens seiner Jüngerschaft hineingestellt, oder — was auf dasselbe herauskommt — er hat, ohne daß für ihn über diese Wirkung seines Tuns eine Selbsttäuschung möglich gewesen wäre, die anbetende Verehrung seiner Jünger hervorgerufen.

Druck von Julius Beltz in Langensalza.

CPSIA information can be obtained
at www.ICGtesting.com
Printed in the USA
BVHW04*1419030818
523478BV00007B/32/P